劉福春・李怡 主編

# 民國文學珍稀文獻集成

## 第四輯

## 新詩舊集影印叢編　第127冊

【星北卷】

# 宇宙之謎

宇宙叢書社 1926 年 5 月初版

星北 著

【晉思卷】

# 牽牛花

長沙：北門書店 1926 年 6 月出版

晉思 著

花木蘭文化事業有限公司

國家圖書館出版品預行編目資料

宇宙之謎／星北 著　牽牛花／晉思 著 -- 初版 -- 新北市：花木蘭文化事業有限公司，2023〔民 112〕

88 面／ 108 面；19 ×26 公分

（民國文學珍稀文獻集成 · 第四輯 · 新詩舊集影印叢編　第 127 冊）

ISBN 978-626-344-144-6（全套：精裝）

831.8　　111021633

ISBN-978-626-344-144-6

9 786263 441446

民國文學珍稀文獻集成 · 第四輯 · 新詩舊集影印叢編（121-160 冊）

第 127 冊

# 宇宙之謎
# 牽牛花

著　者　星北／晉思
主　編　劉福春、李怡
企　劃　四川大學中國詩歌研究院
　　　　四川大學大文學學派
總 編 輯　杜潔祥
副總編輯　楊嘉樂
編輯主任　許郁翎
編　輯　張雅淋、潘玟靜　美術編輯　陳逸婷
出　版　花木蘭文化事業有限公司
發 行 人　高小娟
聯絡地址　235 新北市中和區中安街七二號十三樓
　　　　電話：02-2923-1455 ／傳真：02-2923-1452
網　址　http://www.huamulan.tw 信箱 service@huamulans.com
印　刷　普羅文化出版廣告事業
初　版　2023 年 3 月
定　價　第四輯 121-160 冊（精裝）新台幣 100,000 元　

# 宇宙之謎

星北 著

作者生平不詳。

宇宙叢書社一九二六年五月初版。原書三十二開。

# 宇宙之謎

墨郎

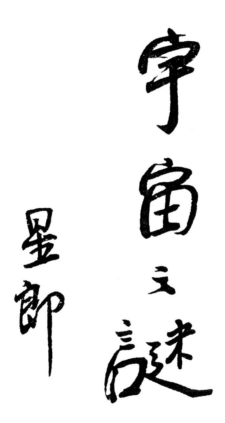

# 宇宙之謎

## ●序

這一篇小小的東西，又不是什麽長篇鉅論，序些什麽？不過把我的一點意思弄出來說說罷了。

這篇是作者個人的經歷，同那些詩人們，小說家，神話家的幻想——或說是理想——當然有些不同。

我作這篇的目的，並不是要怎樣供給讀者，乃是要發表作者個人的精神和人生觀。

作者是一個科學研究者，對於文學，當然是無資格加入，文詞的不妥處，尚乞讀者諸君諒之。

這篇東西，請讀者不要把他當作文學藝術看。本來說不上文學，也說不上哲學；倒有點科學的風味。

此書中一切的學說，如謂：「靈魂」爲「刀之鋒銳」……，等等，均非幻想胡謅，悉依科學哲學態度而定義之。至於什麽「不信不知」的學說，斷難成立在這二十世紀聰明人的心上。

本勸讀者諸君，看了這篇東西，須不懷己見的——客觀的，加以適當的，論理的，和眞實的批評。

如讀者願意從眞實的方面了解這書上所論的，請看下列諸書：

一，生物學。

二，天演論——進化論。

三，論理學。

四，數學及物理學。

五，老子，莊子，太戈爾之著作等。

六，生命之不可思議——劉文典譯。

七，妖怪學講義——蔡元培譯。

末了我再介紹諸位一部最好的解釋宇宙之謎的書，就是相對論。那是一部能添你思想的書；因爲牠很能：眞實的，科學的，論理的，科學的解釋宇宙。宇宙是怎樣的奇妙，怎樣的神秘呀！突然就被人用相對論無意的解釋了！

一切討論的問題，我均歡迎。讀者如不棄而肯賜教的，請委上海泰東圖書館轉交。

一五，二，一，著者。

## 宇宙之謎

火燄退的時候，
你心裏就得着光明了！

……

朋友！
你看見過海裏的水倒流？
你看見過白髮回首向青絲走？
愚人呵！
你爲何癡想重生？

……

「愛」好像深海裏的一件寶物！

五

## 宇宙之謎

劇場：宇宙。

劇中人：數青年，

自然，

宗教，

知識之舟，

名譽之王，

榮耀之君，

利之神，

雲，竹，風，

跣足童子，

及其他。

六

# 第一幕

景：風狂着似的吹；
雲誇弄自己的腿；
竹葉隨風舞蕩，很驕傲地看着人笑。

幕開

（風呼呼——大呼。）歌：

樹枝呵，
你能和我搖擺？
幹木呵，
你敢麼同我抵擋？
我告訴你！

## 宇宙之謎

我是：
權榮的代表，
能力的使者。
我的威風在空中飛揚。
君不見，
那綽號「狂名」的飛雲，
做我足後的隨員。
又不見，
那勇猛見稱的波濤，
跪拜我的膝前。
誰不敬畏我的能，
誰不妒羨我之權？

八

## 宇宙之謎

看哪，
　那因我而弄沉的行船，
　　因抵抗而摧殘的雙丸。
聽哪，
　那澎湃的潮響，
　　嗚吼的音浪；
不全是，
　讚美我的歌唱？

……………………

　（雲嘻笑而歌。）歌：
朋友！
小物！

## 宇宙之謎

你們敬慕我的靈•
許多的人來探望；
他們個個交聲，
讚美我的淵名•
勢利的日頭，
將給世界的禮物，
送到我家，置在中庭•
世人仰而拜我；
求我，
恩澤他們的生命•
談話常關念，
夢中也會見——

十

## 宇宙之謎

他們愛我，
甚於對着他們的慈愛的父母．
我的名歷徧了全空間；
誰不景仰，
誰不愛慕？
强光見我廻避，
日月星辰，
也忽忽地引退．
呵！
我的名何其美！
……………………………

（竹葉很自驕的搖擺着．）歌：

## 宇宙之謎

感謝豐滿的使者，
　賜我新春似的姿質。
嗜殺的嚴霜老人來時，
　我絲毫也不畏懼？
園中伴侶的悲哀，
　却增添我之樂趣。
美麗的新衣，
　永不脫離我身。
溫柔的和風，
　常抱着我接吻。
嬌小的鳥兒，
　也不時在我而前舞蹈；

十二

## 宇宙之謎

爲我的富有，
　爲我的美貌。
同伴看看嫉妬，
　空氣爲我發狂；
眞不愧，
　我自詡的：
　　美貌之王。

＊　＊　＊　＊　＊　＊　＊

（劇臺上光變稍亮，一羣青年上場合歌。）歌：

來！來！！
大家趁忙，
　不要耽誤了時光。

## 宇宙之謎

鳥兒要飛，
魚兒要躍，
人們更熙熙攘攘地工作。
又歌：
美麗的花，
令我心醉；
碧色的晴空，
使我歡舞。
光華！
你是誰之伴侶？
再歌：
雲朵入天中，

四十

## 宇宙之謎

日光在長空；
恁與豁而有趣的色彩，
竟踞在人們的腦中。
（彼此携手而跳。）又歌：
好朋友，
我們應當跳麼？
好朋友，
我們應當唱麼？
我們：奮鬥！奮鬥!!
好朋友！
我問你，
那是我們正當的工作麼？

（再微微地歌，聲優越而清脆。）歌：

快樂的人生，
　穩度着鮮和的春光；
奇秘的自然，
　給與我們豐滿的生命。
好朋友，
　來罷！
　來罷！！

（正嬉遊之際，劇臺上忽現出一架枯骨。）——
（衆驚怖戰栗。、——（劇臺上光漸微暗。）

青年甲：還是什麼呀？
　　誰的惡作劇？

阻人的工作．
可惡！

青年乙：這是什麼啊！
擾人的清意．
誰玩的怪把戲？

青年丙：這是什麼喲？
掃人的興趣，
添自然的恐懼．
誰弄的魔具？

（衆皆擾亂，既而竚立靜思．）——（劇臺上光又漸趨暗．）
（被風吹下的殘敗竹葉，適爲青年所踐：痛呼．）呼：
呵喲！

## 宇宙之謎

阿喲！

（柔懋顧．）問：

誰？

你是誰？

（竹葉悲淒着顫聲低歌．）歌：

我曾戰勝過寒冬．

我也曾受過花鳥的尊崇．

可憐——現在呀，

枯而無用．

空氣嘲我做笑，

萬物對我譏誚．

豐滿的使者，

八十

## 宇宙之謎

﹁早離開我去了！
唉！
我憔悴而乾枯的心靈，
曾充過過去無限的優情；
現在……！
（空氣靜靜的站在旁邊，微微點頭，哀聲悲嘆。）歌：
閣下！
不要太驕傲了，
不要太悲哀了。
我還威風之日，
你看見麼？
時候到了，

皆是這般．

你看，

那些中點點汚濁的水滴兒，

豈不也是雲之結果？

（水滴兒望着他們，低頭歎息、默無一言．）

（乘微喟，復長歎．）歌（音低而沉）：

誰是眞理？

誰是威權？

誰是世界？

誰是知識？

誰是你？

誰是他？

誰是我！
誰是靈？
夢裏的情形，
河中的泡沫。
可憎，可嫌。
造物對着我們，
竟實行他的欺騙！
（正又窺見那架枯骨，心大震恐。）歌：
可怖的東西！
什麽東西？
叫我們起了震驚，
叫人類因你而悲痛。

呵喲！

可怕，

可哀！

……………………

（衆嘆息，以手掩面；全場立靜哀景象。光變更暗。）

（一莊嚴之偉丈夫，以黑怕蒙面，飾自然，突來；慷慨而歌。）歌：

朋友們！

驚恐什麼？

畏懼什麼？

不要畏懼！

無須驚恐！

## 宇宙之謎

自然的結果，
循環的妙用。
萬物的定律，
必由的路徑。
有什麼可懼呢？
有什麼可驚呢？
有什麼可畏呢？
（衆驚愕——仰看着。）問：
誰？
你蒙面爲甚？
你講些甚麼？
答——歌：

## 宇宙之謎

我，
是我。
生命的使者，
萬物的領首。
生在世界之先，
滅在世界之後。
我何嘗蒙着面呢？
你看不見我罷了。
我何嘗講什麽呢？
你不知道罷了。
我講的話：
叫，

## 宇宙之謎

知道的人知曉；
不知道的人，
也不知何處尋找！
衆復問：
什麼？
你所講的，
我們全不知道。
答：
我要講的，
我已講了。
那沉默的宇宙，
已將我的服式現衣。

(衆似悟非悟，低頭沉思他的話意？自然已緩步入幕。)

(俄爾衆愁顧。)呼：

走了！

他走了！

回來，

回來！

我們還有話問你。

(自然應着呼聲——漸步漸歇。)歌：

我永不走，

我永不駐，

我所棲止的安樂窩

你知道——也不知道，

尋找者，
必能知曉。
你要問的話，
你自己去找。
你如知道，
就是了曉。
你如仍不知道，
我也爲你解不了！
明友！
仔細的尋找，
就知我並不是什麼奇妙。
（聲漸低微，已悄然入幕矣。）

（衆驚顧。）呼：

走了！

眞走了！

他叫我們什麼尋找？

尋他麼？

找他——聽他講他的話。

尋他去，

尋他去！

去！

去！

（衆下。幕隨之下。）

（第一幕終。）

## 第二幕

景：幕內——

知識之舟橫在一片汪洋的水上。

臺內隱約現出房屋樣式。

幕外——

草地下放着一架枯骨。

（二青年由臺內走出，懶懶地坐在草地上。）

（月光暗淡。）

青年：可畏的光華呵！

可怖的枯骨呵！

你看，

## 宇宙之謎

宇宙之背景，
竟伏着兇惡的魔神。
煩惱呵！
苦悶呵！
枯寂呵！
難道這樣就算是眞正的人生？
朋友！——（手指着地上的枯骨。）
你不是也曾度過我們的時間麽？
你不是也曾像我們一般的生活麽？
呵！（長歎。）
什麽叫人生？
他一青年：人生的眞諦，

就是這樣麼？
我不信，
尋他（指自然）去。
走麼？
叫他講麼？
青年：走罷，
走罷！
（二青年低頭攜手環繞荒場中，如有所尋，逡巡微吟。）歌
：
尋求，
尋求……！
尋求……那……萬物……的源頭。

## 宇宙之謎

尋找，
尋找……！
想得着個眞實的……參……透。
（幕開，光稍覺明。）
（知識之舟在水面上鼓浪作呼聲。）歌：
人麼？
要去何處？
問我，
敢知；
我被你們渡到你們要行的道路。
就我，
詢我；

## 宇宙之謎

我必指引你們不入迷途•
（二青年互道：）
你看！
大海茫茫，
究竟的着落怎知？
似乎告訴我，
須求識智•
（問：）
我要找的，
是黑帕蒙面的人•
他呢，
似乎是宇宙之神！

## 謎之宙宇

你如知道，
求穩渡我們到他的家門。
（船歌：）
他麼？
他是神秘的使者，
永不動作，——也永不停止。
具了極輕微的樣式，
却啣着重大的使命。
他似乎奇妙，
無姓，無名。
你如隨着我去，
定能不負所托，

四十三

直達到他的門——庭，
你尋求他麼？
上來罷，
且莫猶豫！
順着你的志望，
仔細的去尋！
過了那灣曲的途路，
你定可清清楚楚，
看見他的安身之處。
（二青年乘舟而行，口微吟。）吟：
尋求，
尋求；

這次只懸着知識之舟・
尋求！
尋求！
（移時見一住宅，若隱若現・）

他一青年：好了！
到了！
這彷彿是的罷？
下去看看！

青年：休得慌忙！
不像，不像・
他的住處，
豈只是這樣的渺茫，

## 宇宙之謎

恁般的荒唐？

他一青年：朋友！

似乎不錯，

何須疑想？

他本是神秘的使者，

正配住那神秘的仙鄉，

青年：差矣！

他分明明的告訴。

尋他的人，

定然知道清楚。

他那神奇，

並不在知道的人心處。

## 宇宙之謎

求了解的，
斷不至恁般的糊塗；
他又何必空空的煩汝！

他一青年：我想：
他，
神秘的丈夫，
正是如此住；
又何必再費勞苦，
豈不是白白的等閒忙？

青年：汝要下舟
汝要停留。
你既是：

再也不願，
同我深深的尋求；
好麼，
便請你獨自下舟。
恕我不停留。
（又一舟橫波駛來，將其他一靑年接去。）
（靑年獨鼓棹前進而歌。）歌：
渺渺，
茫茫，
豈有眞理只這般的荒唐？
他一定要去試看，
我豈有法阻擋。

## 宇宙之謎

（舟行多時，青年爲自努力。）歌：

衝破多少怒濤，
經過險要，
撞倒暗礁，
戰勝了，
萬千的阻撓。
隱隱中有人怒號，
呼叫，
追我，
下錨；
脅我，
走逃。

但我畢竟勝了！（頓悟）
你看，
前面漸行漸近，
漸近漸清；
不道愈入愈真，
絕不似從前的混混沌沌；
悶悶沉沉。
遂見光明，
心中清醒。
日月的浮沉，
逝水的不反，
倒添我胸中無限的慨情；

## 宇宙之謎

却原來，
是這般光景！
水波逐去的層層，
日月的循環婆娑，
生物的死死生生。
都是，
不盡的常流，
宇宙的源頭。
若呵！
私了我一生，
霎時便須沒有。
前層的水波，

怎知他投身何所？
表現目前的，
豈是昨朝的日月，
過去的浪沫。
但那，
流水不盡，
日月如梭；
哦！
却原來…………………。
（忽觸起前日枯骨的感想，復恐懼自語。）
自問：
怎樣呢？

## 宇宙之謎

人爲甚不長生？
爲甚有死？
眞的，
　要增加苦惱嗎？
……………………

（舟又前進，青年自解答而大悟。）歌：
噢，
　這樣。
人生不過幾許，
　一世當可度完。
倘永遠不死，
　反覆的再去；

## 宇宙之謎

走過的道途，
便乏有興趣。
君不見，
那流水永不回頭。
走完了，
誰願回來再走？
這算什麼呢？
臭囊一具，
終無了期，
不也太令人厭倦？
還是讓未經過的伴侶們走一遭罷！
愛自身的瀟水，

## 宇宙之謎

戀戀不走，
　只落得一身俱息。
月如常圓，
　誰復欣賞；
花若常開，
　誰來愛戴。
天地間循環走路，
　死豈是宇宙給人的不自由？
（前面已是自然之門，自然迎之於水畔。光變明。）
哈！
勇猛的人呀。
費了千辛萬苦，

六十四

到底找着呀！
我是很容易知道，
却難明曉。
他們不知，
豈是我之無情，
實因他意志不堅定。
來！
請進談音。
（青年微笑。）云：
自然！
我已知道，
無庸說了。

沿路船已暗示了我，
我實知曉。
自然：好麼？
你既知道！
這本不是神妙，
爲甚世人却紛紛的驚異？
還揑造許多什麼學說
要欺騙黔黎。
請再駛舟，
向我殿後航走；
你便知道，
何者爲汝所當有！

青年：

自然！

再見！

我更不須停留，

逕向你殿後航走。

（青年隨舟入幕。幕閉。）

（第二幕終。）

## 宇宙之謎

青年們！你們不是有只樣的煩惱嗎！解宇宙之謎去！

十五

## 第三幕

景：一青年操舟水上，破浪前進。

幕開

青年歌：

前行，
前行！
待尋，
待尋。
終生甚樣，
誰來指引？
前進！

謎之宙宇

前進！
（名將之王金盔銀甲，全身戎裝而出，光耀奪目。呼嘯而歌
。）歌：
喂！
青年！
休要前進！
我告訴你——
眞實的生命。
你看，
我而前的猛將（手虛指）。
誰不是犧牲了皮囊，
存留了萬代不朽之芳名。

二十五

## 宇宙之謎

不見那，
建功的首領，
革命的元戎；
成就了利人的功業，
便顯出蓋世的勳名。
身雖朽，
名永存。
君不見，
古聖賢人；
生無一日之歡，
死後——
名便與天地同流。

少年！
請隨我行！
定能展你的懷抱，
慰君之生平。
光華灼灼，
照耀着汝之優名。
（靑年低頭默思。）道：
吱！
似乎有理。
是麼？
…………………？
哦！

## 宇宙之謎

名聲是甚麼？
身後的影，
家中之賓。
有身始有影，
有主方來賓。
主去了，
賓留何用？
身沒了，
安見得影？
那不是眞正的我，
還提什麼小我大我，
眞我假我！

## 宇宙之謎

流水的本身，
不知何所？
但他却空擔了會遊的名。
那湮埋在地下的枯骨，
怎知道在世的虛名！
老實說，
我不信了！
你去哄騙別人。
去休！
去休！
（青年復進。名譽之王垂頭喪氣而退。）
（榮耀之君戴光明的寶冠，滿體金光四射。）歌：

宇宙之謎

少年！
你尋求甚麼？
唯我最是可欽。
生命本無意識，
名譽只是空虛。
但是，
全世界的命運，
却在我手中蕩漾。
你看，
我滿體的金光。
不必另尋，
無須再找。

我可叫你終生，
得享幸福。
我更能使你，
榮光四照，
萬方來朝。
少年呵！
無須再找！
（青年：）
啊喲！
別說了！
別騙了！
我並不是，

## 宇宙之謎

一個無知的嬰孩，
不識的童騃。
誰願，
受你的虛榮，
作你的奴隸？
你看，
那鑽求榮耀的，
你的門僮；
徹夜兒，
整日兒，
那得安寧？
却正似半開化的人蠻。

## 宇宙之謎

他幸福之燈，
　試問在那盞？
你勸我求你；
我勸你先認識你自己。
那狂飆不是你的門下麼？
他正靜悄悄地在那裏哭泣！
斜陽衰草，
　一坏黃土；
你的榮耀在那裏？
去休！
去休！
退後！

退後！
（青年又進，榮耀仍歸入幕中。利之神來。）
歌：
來罷！
少年！
電光似的名譽，
實是空虛。
尋求榮耀，
更屬癡愚。
來尋求我罷！
我能賜與你眞正的幸福，
無窮的歡娛。

## 宇宙之謎

你快尋求我罷！
你看，
那隸我名下的人們，
誰不是，
錦衣饈食，
豐滿着身軀，
享樂而有餘。
青年：何等的痴迷！
人生豈只是爲你？
你令我雙手背翦，
終身的求利；
我倒感你受鐐的囚卒。

## 宇宙之謎

幸福甚哩？
去休！
去休！
你如來，
可跟在我後而，
做我的長奴。
你又何聰明，
我又何愚迷？
我緊求隨，
那悲哀的聲浪，
定能奪我精神的歡娛。
（青年不顧而前進；利之神目送其去。）

（宗教戴着神秘性的面具，隱約漠糊，儘力呼喊，滿心希望着迷途的人們，盡歸到他的門墻。）

高呼：

少年！

你好糊塗！

你覺不能看見我麼？

暫時的生命，

刹那的閃影！

那魔鬼的圈套：

權利，

名譽，

榮耀。

## 謎之宙宇

覓破你的智慧，
一一脫掉．
但你知道麼？
你不要為學問誤了！
你的身是要死，
你的知識不能延你一秒；
但你的靈魂，
却永滅不了．
你，
人！
萬物之靈．
超乎萬物，

高出凡品。
人的靈魂永不消滅，
你不必被科學所迷，
也不要爲自然所欺。
老實保你本身的靈魂，
發你無碍的天眞；
奇秘的天神，
等候你來生。
少年！
醒！
醒！！
（靑年笑領之。）歌：

## 宇宙之謎

你麼，
好。
我正思尋找，
講那生死之道。
願你把你的知識，
儘量地明告。
你這渺茫的話頭，
無稽的腔調，
却向誰道？
什麼叫重生來世，
休論假論真；
藉有重生，

· · ·

## 宇宙之謎

又含何意妙？

我今生之事今生度了，

還講什麼來生，

問誰見來；

不過空惹人笑。

莫論倘屬漂渺，

那滋味總有，

寧也不願嘗醮。

引人向糊塗的道路，

坐在虛幻的空舟；

實枉了你們的心胸。

（宗教半晌無言，勉強一唱。）道：

## 宇宙之謎

吒！

靈魂！

（青年應聲而答。）答：

魂靈？

刀的鋒銳，

　形的射影。

既毀了刀，

　又去了形；

還講什麼鋒，

　說什麼影？

誰見來？

請給我明顯的憑證。

宇宙之謎

你要羞對那一步步進化的魂靈。
硬說什麼靈自天賦，
人便靈長萬物。
這種虛幻的伎倆，
請少現形，
且莫逞能。
微妙的構造上，
全住了自然的生命。
（宗教乃大懊喪，無可奈何，又強自掙扎。）道：
你要信！
唉！
……………………

十七

（宗教話猶未了，青年更搶上一步。）道：

信？
何所為而信？
你講不信不知，
我却道——
不知不信。
不知不信，
不存己見；
正當兒輕察，
客觀的批評，
不信不知，
先思已定；

入主出奴，
存下個我的——
私心。
你能否給我一個眞實的憑證？
我又何爲，
而沒來由的信？
（宗教閉口無言，不覺倒退數武，呆望片刻，低首入幕；青
年仍前進。）歌：
渺渺的人生，
委實可喜可恨。
沒根基的宗教，
戀精心理的變態

## 宇宙之謎

也另成一門．

那可笑的利神，
也希望我作他的囚人．
什麼，
名啊，
榮啊！
你們沒來由的爲甚？
爲甚麼弄這些蜃樓海市，
處處迷人？
希望之神，
引領世人到虛幻之門．
更可笑，

還希望着什麼重生。
但哪，
我又如何度此一生？
糊糊塗塗罷，
辜負了他。
業業兢兢罷，
可苦了他。
不奮鬥罷，
又誤了他。
怎麼樣呢？
再前進罷！
再前進罷！

## 宇宙之謎

（舞臺上光度漸明，漸明；終至大明。）

（音樂聲中，數童子跣足披髮，跳躍而歌，歌聲嘹亮。）歌：

茫茫的夢境，
　浮沉的人生；
誰懼他來？
只知，
　安慰我們的心靈，
快樂我們的本身。
愚人驚覺，
　萬物甦醒。
死豈是人的缺陷，

生更非人的——
　歡樂，
　圓滿。
來罷！
及時行樂，
　充實着愛的天眞，
無絲毫的煩惱，
　潛伏下愛之根苗。
（衆相顧歡笑，再跳再歌。）歌：
那歌舞的鳥兒，
　欣欣得意；
豈不是快心的樂品？

## 宇宙之謎

那母的柔語，
　句句懇摯；
豈不是眞情的流露？
甜蜜的戀愛，
　神聖自由；
更能沁醉人的肺腑。
愛不是至上麼？
問誰是太上而無情？
（衆相抱；又歌。）歌：
什麼叫空間，
　什麼叫時間；
我們都不問。

## 宇宙之謎

也不睬那，
自動的宇宙之神．
我們專爲的，
爲清楚而不迷信的人！
互相假抱，
不聞一聲怨恨．
（再歌．）
……………………！
……………．
…………………，
………………！
………，

## 宇宙之謎

……………………………………

（青年從旁看了；如醉如痴，忘形的加入共舞。）歌：

底事忘形。

原來是，

愛充滿了我們的胸襟，

慰解了我們的心靈。

朋友！

共同遊幸！

衆：新的同作，

你覺悟麽？

你，

你猶缺少甚麽？

青年：愛！

心愛！

像不十分暢我心懷．

噢！

我終身極蜜切的友伴未來。

衆：可愛的青年，

願你蓄着純潔的愛情，

求你唯一的相親．

你之未來友伴，

鵠候汝來臨！

（青年不禁手舞足蹈，歡歌入幕．）歌：

挾了我豐滿的愛情，

純潔的心靈．
去求那振數相同者，
度一生共鳴的光陰．
（幕漸下，歌聲漸遠．）
（幕閉．幕中猶隱隱有呼聲．）呼道：
死不是宇宙的缺憾！

（第三幕終）

## 宇宙之謎

宇宙是不滅的！
天地是循環的！
朋友！
不死，
何用？
…………
自然的嘻笑，
摸了愚人的眼淚。
…………
世界並不曾欺騙你，
但你却欺騙了自己！

二十八

留給朋友們寫他們的感想

宇宙之謎終

中華民國十五年五月初版

本書（實價大洋三角 外埠寄費加一角）

# 宇宙之謎

（全一册）

版權所有

著作者 星花

校訂者 孫六郎

發行者 宇宙叢書社

印刷者 泰東圖書局

總發行所 上海四馬路二二四—五號 泰東圖書局

分局 南京太平街 長沙南陽街

代售處 各省各大書局

# 牽牛花

晉思 著

晉思（1898～1927），原名羅象陶，筆名羅黑芷，江西南昌人。

北門書店（長沙）一九二六年六月出版。原書三十二開。

牽牛花
管思 著
零星社叢書之一
曼

# 牽牛花

管思著

零星社叢書之一

一九二六、六月

一至二千冊

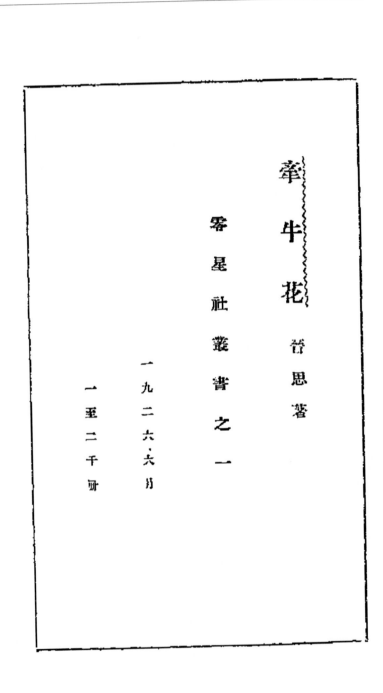

# 牽牛花目錄

四

夏日早起，立窗前盥漱，徐徐視階下竹枝上有葉蔓相纏，槿花數朵正盛開，其色明，其氣清；曉日方出，霧露未晞，而花萎矣。

著者自言

# 黃昏

——代序——

在西天底夕陽底紫條裏，
蒼煙似的羣雲吞吐；
江岸底塵土揚起了枯燥的熱氣，
這大地早已在灰燼之後。
黑魆魆的遠山擋在我的面前，
魔鬼底面幕裏衆多的紅的眼睛；
烱烱地直透入豔綠的波光裏面，

二

波光上鋪上了黯然的煙痕．
遙水裏飄游着黑漆的扁舟；
飢餓底黑暗的翅膀在我底頭上飛過．
凝重的天空扳起他深鬱的面孔，
黃金的月弦在他底懷中跳躍．
月弦底魅力震盪我脆弱的心魂；
在拍岸的水波中我尋找那低微的歎聲！
江岸上瞽者的銅鑼喧嚷，
他告我以人世間嚴肅的黃昏

——曼衍——

# 牽牛花

## 甲子年終之夜

前七八天不知何許的一個處女死在湘水下游三十里的地方・她的死體是被一個往來江上的漁人偶然一網撈出了水面拋棄在岸旁污泥中的・聽說那江村邊的幾個舟子將她裝在一口薄薄的棺內就在附近的荒野，爲她草草築了一個小小的墳墓・聽說她的棉衣，綢裙和襪履，不知被什麼人剝了去，只留下一層褻服裹住這昔日曾是處女的尊嚴的身體而今只是浮腫並且塗滿了濁泥的青黑色

二

的死尸•

我耳邊聽到的彷彿是她的淒然的悲歎，眼前却又瞧見一個行路蹣跚的少婦，在昏漠的夜雨中，脇間挾着一包衣物之類的東西，正在前頭緩緩走到一處兩旁是爛泥土堆而中間却是行人和車輛往來匆匆的街中•三輛人力車一綫兒直衝將來把她逼得躲到側邊深沒踝骨的泥濘中搖搖地站立不穩；頭一個衝來的車夫曾在剛才刹那間喝她讓路的，此時一面拉着車兒跑過去，一面扭轉那野獸般的面目，也斜着一雙眼睛，用污穢的話去侮辱她，而她只勉强地回轉頭來低聲說：

「你們這些人啊！」

我料不到那個死的處女，和這個生的少婦，却在今夜風雨敲富而文是萬家舉杯相祝的時候，做了我的兩個不相識的朋友。
歎生之可悲麼？而她死了，惡死之爲卑怯麼？而她饒恕了人間了！
獨這徬徨歧路之人呵而將焉歸!?

## 痕跡

從前的冬日是否曾有這晡寒風雪洗洗八九天的逼人太甚，使我這孱弱的軀殼竟不能抵禦而頹然病了；在這渾然的心中實在是沒有一些兒痕跡。
使如昨夜的情形罷，一個妻子和一個友人伴着我圍爐而坐，

四

聽着紅炭的畢剝的燃和燒水壺的幽幽的細吟，談着談着，忽然被那伏在爐旁偷暖的花斑狸奴引到窗前；開了窗門將她放出躍立在窗檯上悽惶地張望着，而我們的一時沈湎於那氷蜍的青光灑在高低屋頂上一片皚皚積雪間所涵虛的空靈，也確曾教我們的意識驀地吃了一驚；這個影子在這渾然的心中也沒有一些兒痕跡。

今天早晨，我在衾中仰望着帳角上映進一層淡黃色的光輝，「晴了」，這樣想着，便覺得鼻孔中的呼吸很是酣暢，而我又頓頓地睡熟了；待得醒來，剛在心裏預備着以後的茫然的快樂，細看窗外那天空的顏色又是灰色的；「陰了」，這樣想着，便覺得這已經拖住了袍領的手，有點兒騰挪不能自由的意思；「還是睡下罷？」却被家人呼喚「吃飯！」的聲音催了起來；這個影子在這渾然的心中也沒有一些兒痕跡。

坐在仍是昨夜的爐前，背負着今日下午西斜了而許久不曾見面的日光，分明地看見爐裏的一塊燼炭昇起了一縷細細的青烟漸次漸次消失於眼前的空中了，沒有小孩子、女人們、乃至我最愛的友人，來驚動這房內的空塵。我要在這死灰的境界中慢慢地看出一絲絲的生氣呵！然而這個影子在這渾然的心中也難有一些兒痕跡。

## 我醉了

要你把我的身兒引到那夢裏的湖邊；

五

六

你便坐下在那塊斑剝的石上，
我便傍着你看那水面露出的紅蓮；
你說，這亭亭的芙蕖還未曾開呀，
什麼香氣却惹得那魚兒在葉下流連？
姑娘——你將這個來取笑我麼？
我却願做那天上清晨灑下來的露珠
滴溜溜地晶瑩瑩地
從那顫巍巍的花朵上面滾到那翠玉盤子的中間。
風起葉兒動了，把那亂走的水珠兒洩下在湖面上了；
他却也帶着璘琮的微聲說，「我甚情願；」
那照澈漣漪的赤色朝霞呵，

不是燒得一切的世界都煩觸了麼？
却能把我的一縷生命輕輕地托上碧天；
只待這地球兒打一個迴轉，
我便又落下在人間！
姑娘！我醉了！

你看那山谷中的蹤兒樹兒
混成了翠滴滴的一片；
彷彿有燦爛的光兒影兒
閃耀於綠葉底中間；
層層的紫雲懸蓋在山巔的上面，

七

準備着那射出來的日光呵
將他的容顏變幻；
他微微動顫，只是這樣的輕盈漂渺
便向天邊飛散，
知什麼別離呵，更知什麼愁煎！
姑娘！人說願爲多情的鶯燕
拚在花枝上要將這流光蹎轉；
我但願爲碧空的一朶輕雲
伴隨你這輪紅日到無邊！
姑娘！我醉了！

八

## 寄素絲

十五日的天依然是被黯雲凝凍着。這晚素絲檢出一幅蒼蒼茫茫的海上飛鷗圖作爲祝我三十六度誕生日的贈品。這圖畫曾經激動了我十五六年前的海的回憶淡淡地又再現一次，何況他還將他的舊作寫在上面呢？他的詩說：

黯淡的天，
蒼茫的海，
橫空的信天翁呵，
你底歸宿安在？

「我既做了海天中的飛鳥，
我只合在海天中任意翱翔；
管什麼遠和近呀，
更管什麼歸宿何方！

「我笑那遠翥的大鵬，
我笑那樊籬底斥鷃；
他們在不會飛時，
先存着遠和近的擬想。

「我既做了海天中的飛鳥，
我只合在海天中任意翱翔；
你要問我底歸宿麼，

我底歸宿就在這浩渺的大荒！」
素絲你便是這海天中的飛鳥麼？來！來！
　鳥呵！你竟欲留連於此而終古麼？
在這令人惽憒而慄懼的渺茫？
我不感覺你的曠懷高遠，
我只感覺你的漠漠的悲傷。
　你願意為我而下止麼，
在這麗日煦煦洋溢乎太空的南方？
這裏無怒吼的危濤和慘厲的寒氣；

這裏無侵肌的氷雪和愁人的暮光．
你願意爲我而下止麼，
在那鬱鬱蒼翠的孤島之故鄉？
那裏有碧玉的流泉和瑪瑙的甘實；
那裏有溫暖的宿處和醉人的芳香．
　島呵！你竟願留連於此而終古麼，
在這渺無邊際而深不可測的海波之上？
我不感覺你的曠懷高遠，
我只感覺你的淡漠的悲傷！



## 夜

是何處溯來的春夜，
從空中彷彿飄下了些聲；
了無依傍的心兒
又無端地在幽暗裏搜尋。
他曾瞧見歷歷的夢境，
轉眼間都化了灰塵；
便是灰塵也應有些兒痕影，
那得便如無邊的滄海，
極目處總教人歎息零丁。
烟也似的夜呵——我愛你！

一四

不是因爲你給了我溫柔的慰藉，
是因爲你給了我悲寂的淸醒。

## 無病呻吟的從兄

世上因爲常有那提筆便寫些無病呻吟的話的一類的人；所以便有安樂窩裏的貴公子們，拿着一本閒書，在飯後剔牙的時候，給予某一種文字或某一種人以『無病呻吟』的批評。原來人們的環遇不同，情緒也當然因之而多少有點差異；這是無足怪的。

現在這裏却有一位無病呻吟的人，他是我的一個三十九歲的共祖父的從兄。他有一個身軀矮小，面目緊縐，性情暴燥而目光近視的妻子，因爲這妻子的原故，他常時羨慕那些在野外遇見的挽着胳膊並肩行走的情人。『我也曾認識一個女郎，』他在某次給我的信上說。『可是伊現在和旁的一個男子在公園裏散步了。』這樣的回憶使得我在那封信裏竟發現了不少他對他妻子的不滿意；然而十四年的中間，他也曾做了五次父親。那最長的孩子是十歲了。三年前，我看見他是一個老老實實的孩子，張着一雙細縫的眼睛喜歡拍着手兒唱：『梔子花，六皮葉，親娘帶我六個月；親娘送我上蘇州，蘇州城裏好丫頭；不打粉，自然白；不打胭脂桃紅色。』第二個，生得嬌嫩如一個女孩，臉上泛出兩朵紅暈而他說話的聲音也像一個女孩子的。常爲我的娘姨嫂嫂所最鍾愛。第三個，我看見他時，穿一身藍色格子布的舊衣服，腳前老是一

一五

片鼻涕和污垢；當他兩個哥哥在房裏吃他們外祖母或母親所給與的糕餅落花生等東西時，便在房外從門帘縫邊露出一雙黑眼睛一閃又不見了。除去那生到這個世界如沾霜的野草被冷風一掃便萎了的第一個女孩和第四個男孩，而今這大小五口都正住在南京秦淮河上游的大中橋。誠如那第一個孩子唱的，親娘送他上了蘇州，這雖不是蘇州、以生長楚地的小孩却能浸潤在那充滿浪漫色彩的金陵的山光水色裏；縱令是小小的頭腦，也到底感覺了些和故鄉的不同吧？但是我對於他們似乎都忘却了，因爲分離也有這許久的時候了。

我的這位從兄也讀過書，進過幾個學堂，而且是從前南京高等學堂理化科的畢業生。他現在却在江蘇財政廳充當一名科員。

月薪五十銀元•一家五口的飲食，衣服和房租，三個小孩的教育費，還連同佢倆夫婦的賭錢的資本，都靠在這一筆入欵上•有時佢倆把孩子們關在家裏，自己却上酒樓去吃飯；因為孩子們食量大，又喜歡吵鬧，又穿的是補綴的衣服，這些事情，都是於那要上酒樓吃飯的父親和母親十分沒有利益的•前幾年佢倆從長沙帶去的一個王奶娘，去歲秋天歸來時，曾打着南京官話向我們談說佢倆的近況；我記得伊搖幌着那插戴一枝金簪的光油黑髮的腦袋，說話時眉尖總是縐着的，『可憐哪——什麼也當淨了！』這確實是歎我那從兄的不幸了•

去年春天，他給了我一封信•他說，他患了咯血病，吃藥也不見效；他說，他的妻子不明事故，孩子們太年幼；他說，他有

一八

許多舊書和幾個空的大皮箱寄存在長沙的舅母家；他說，那舅母是不可靠的人，要我寫他將這些東西統統賣去；他最後說，『你是我的兄弟呀！我的幾個可憐的孩子便交給你了。』

我不曾寫一個字回答他。

過了兩個多月他又寄來了一封信說，『我的病漸漸好了。』他只是想我的回信，但是我仍然不曾給他。

原來當他病的時候，還有我們的一家姓陳的親戚住在那裏；大概他們也時常通往來的吧？及至這年的夏初，那親戚家的主母死了；輪着他家的長子，一顆繪畫界的明星，也死了；再輪着便是幾個兒子孫子和一位三十歲的管家的小姐，將那年已七十而白髮皤然的詩人父親搬運到杭州的西湖去了；而於是我的那位從兄便更感到孤獨了；所以他對於昔日深恨的舅母也改變了態度，一個月照例會有一封信由我轉交給伊。

中間我曾得了他若干封信，我也記不真切，因為他的來信裏老是『異鄉』、『骨肉之情』、『無時或忘』這一類的話。我總疑心他還是帶着那矮小而近視的妻子坐在酒樓上的一角吃燒鴨翅，而那幾個穿補綴衣服的小孩們還是關閉在一間房裏互相叫着打着呢！——然而這次南京兵變之後，他又來了一封信告訴我們，佢們是如何衣不解帶地度過了許多驚恐的夜，並且還祝我們這些在長沙的人們的平安。

現在我又想用那『無病呻吟』去想像我那遠離的從兄的態度，但是當我模仿一位貴公子的神氣，斜坐在窗前的藤椅上，讀他

二〇

的最近的那封信，而毫無所思地剔着牙縫的時候，我覺得眼皮上有些熱辣辣的感觸，不由地把那封信放下在我的膝上了。

## 春夜街頭的客

爲的是什麼事情呢？
我的這個人兒！
却要孤伶伶地
躑躅在燈兒煌煌的街上。

他也是一般地被旁人嗤着，

雜在這洶洶的潮流裏，
一步，一步，
沿着人家的門前來往。

從街的兩旁高樓，
樓簷的聳臨空際，
他抬頭望去，
見着了夜天的朦朧薄網。

帶來了野外的春的消息吧？
那遮蔽着月兒的浮雲呀！——

他彷彿是曾認識你的，
但是認不眞你去年的模樣。

多謝那簷邊浮着的紅紅的光影，
正是無聲地交織着呵，——
在這營營鬧市的烟霧裏，
織就了一星兒溫意在他心中的蕩漾

我的這個人兒！
你是往那裏去的呢？

# 牽牛花

## 一

——東山行——

路出東門，在朝露未晞的邱壑之間。那鮮綠而明亮的青草堆頭早已鋪上了長條而不整齊的紫黄色的光輝。看去是日出之光，却朦朧地彷彿正吐出夜的歎息。這使我睜不開的眼臉也漸漸探開了。清如碧水的空氣帶着野草的香味，使我的鼻孔異常地感覺酣暢。我知道，我此刻蘇生了。

二四

同行的人却也不少，彼此相覷都無一個相識；但見脚跟起處塵土飛揚罷了。卽是在這樣的時候，那些歸鄉的人們每每從轎簾裏互相窺覷，或竟伸出頭來彼此目逆而相送。

這應當感謝的麼？那用汗水洗淨了我的疲勞的轎夫，到不如感謝這送了我一程路途的小小的蜘蛛。因爲他不知在什麼時候爬上了我轎簾的角上；火熱的太陽，狂亂的南風，齊力在這一角窗監的天地裏要賞鑑他如何織成他的生命之網。他被吹開了，飄飖在空中了，匆匆地回來回來。單單是一根脆弱的絲，便還纏着忘了危險。然而終於覺醒了，他乘着那飄舞於狂風中的細絲，愈引越遠，竟令我回頭也瞧不見他了。

眼見着一乘轎子在前頭，漸漸地走進了東山市口，趕上前去，心裏只戀慕着其中的女郎。到了茶亭內，許多的赤膊都在眼前，但誰是轎中的人呢？

我今渡河，已在涯上；隱約地看見一抹發光的淺綠，是在一灣白水之旁，遺下的渡船被那小孩子駕着如一皮枯了的黃葉飄向彼岸去了。河呵！離別只是一年呀，雖然這只是一年。

## 二

——天真的光——

院子裏晾着小孩的衣袴，在斜了的夏日的影裏分外地幽靜而清朗；一羣小雞團聚在白光刺目的窗牆下面，啾啾地鬪着翅膀。

三

——陶醉——

記得是十五之夜，一輪金樞湧現在碧琉璃的天空。日光未盡散啦，站立在四圍青稻中的松原上，看月的情懷却沒有了。

四

——沐浴後——

沐浴後，赤條條地站在簷下的盆中。那從黑暗裏伸出頭來被月光照着的濛濛的枝葉，在花壇上布滿了黑白的碎影•戀着戀着，是夜風的切切私語麼？在靜寂裏伴着我的，彷彿是那垂頭的一朵牽牛花•

五

——陳婆婆——

聽說那接連死了兩個女兒的肥胖愚蠢的陳婆婆，在半夜裏被人瞧見爬在房角裏的短竹榻上如小孩般嚶嚶地啜泣；問伊『怎樣了？』說是蚊蟲咬的脚痛•第二天早晨，大家正將這事說着取笑，一副紅腫了的黑肥面孔在一盤熱氣蒸騰的茶湯後面，擺呀擺地向這邊慢慢移過來。

『噲！少弁了一雙筷子呀！』一個小孩惡作劇地這樣地戲嘲了過去。

伊瞪大了眼睛，只是驚惶，彷彿很詫異不知什麼意外的禍災又要壓在伊斑白的頭上。然而不知是那方面錯誤了，這邊的只是吃吃地笑，那邊的也茫茫然去了。

## 六

——睡醒的午後——

半個晝被瞌睡佔領着。爬起來，抽兩袋煙，偶然在北風吹着的夏的天空裏努力要想發見秋的意味。日影的方向正煩燥地在樹葉和地上閃耀出强烈的光；那引吭而鳴的雞聲如浮煙般又在我夢中了。

## 七

——潛候——

冬夜裏，在穿堂的冷風中戲弄着門邊底屑皮；幾回聽見是他來了，却原來是故意驚人的窗櫺的破紙聲。

## 八

三〇

——無題——

才脫開了監督的眼，便不由地抬起頭來的微笑呵，是女人們的初戀的心。

九

——可憐的室中——

讀着詠歎故鄉的文詞，却找不出一個故鄉。處處都是可戀的，但處處都成了可悲的。這拘囚於一室的無形的飄泊，眞有似落花不歸來了。

十

——可愛的——

在紅色的暮靄裏，並肩行着絮絮不清的忽然透出了一聲微微的歎息。——這是我眼前的兩個可愛的青年人。

十一

——枯草——

並非愛情鞋底下的枯草，將脚步兒輕輕地提呵；只恐傷了這

三一

結了的心。

## 十二

——出了他家的大門——

在無聊中，忽然動念要去訪一個朋友，帶着像煞有十分重大的事由的面孔，匆匆地跨進了客室；疑惑的眼睛從主人臉上望了過來：

「吃了飯麼？先生！」

「吃了飯了。」

「天氣很熱呵！」

「是的，塞著表彷彿升到了九十五度。」

……………………………………

「先生此刻將到那裏去呢？」

「我麽？是的。到——到一個朋友家裏去。」

「這樣酷暑的天，在街上走着，不熱麽？」

「不熱麽…………？」用手抓抓腦袋。

這樣，便快快地出了他家的大門。

十三

——那個夫君——

三四

瞧着可愛的妻子抱着伊初生的小孩只向着旁邊的美男子蜜蜜地微笑着的那個夫君。

十四

——一盃紅色的酒——

這是那一杯紅色的酒，使伊從來沒曾做過地那樣愛着你；而你所得的是什麼呢？

十五

——哦！這東西飛去了！——

大約是上午十一點半鐘．從一個犴猩式的小窗的木柵裏鑽出去，日光在後面人家小院中晾着的髒的白的衣衫上停着不動．在這斗室裏，剛才吃過了西瓜，大家都沉默起來．一柄大蒲扇在書桌那邊牆角裏翻動着閃出一片淡白色的光．牠的近來讀着『道可道非常道』的主人翁彷彿要睡着了；把眼皮眨了幾下，那蒲扇的翻動也漸漸紓緩下來．

一個把頭髮分披在額際但是已經成年了的女孩，爲着西瓜吃得不滿足，把伊的兩隻臂膊擱在領頷下面伏在桌邊．睜着兩個黑眼珠，東望望，西張張；忽然發見一個紅頭綠背的大蒼蠅釘在一滴殘餘的西瓜汁上蜿蜒着不肯放手，便嚷將起來

三六

『的！的！一個肥蒼蠅！』

說時遲，伊趕忙跑過去奪得那柄大蒲扇在手，對準那小動物就是一下；那時快，那蒲扇的主人翁也立刻挺出他瘦條條的軀體站了起來，像螳螂般張開臂膊，助着聲勢。蒲扇拍地響了第二下，一本書從那書堆上面翻落在桌上了：

『蠢東西！你看！一個蒼蠅也捉不到！……』

他急忙吞下了底下的話，拉長他的頸額向前方一瞧，一個肥蒼蠅挺着放亮的肚皮在那黑漆桌面上的一塊地方風車也似的盤旋着，而且喊出救命的叫聲。他說，

『在這裏！在這裏了！你不中用，快把扇子給我！』

那女孩不肯給他扇子，口裏亂嚷着：

「的！的！不要動，不要動！」
隨手便又是一下；只見那蒲扇的主人翁把腦袋向後一仰，那蒼蠅
正插在他的下頦底下打個翻身：
「哦！這東西飛去了」
四隻眼睛瞪着，你瞧我，我瞧你！

## 十六

——小草——

在日光不到的階石縫裏，有婷婷嫋嫋生長出來的可憐的小草
；她在夜間得着那偶然飄下來的一點輕寒的露，也搖曳出她靈魂

裏的感激的歡欣。

## 十七

### ──誘惑的光──

我躺在這睡椅上，在困倦了之後，望着房裏一排四個橢圓形鏡子裏面有幽深奧妙的光；這因爲是那從我頭後右方斜射進來照在這衣櫥的栗色上的沈靜，所幻化出來的麼？我彷彿正同兩個青年的女子坐在一個亭子闌干的一角；那石柱和亭檐正浸在碧色的天空裏。她們正娓娓地談着話，心內却不知在思索些什麼；因爲她們向來被鎖閉在機詐和憂愁的牢籠，一旦接觸了自然的人生便只有抖索。一個有兩隻大眼睛望入而靠着石柱邊坐着的，忽然在她的臉上現出死灰色來，她的眼睛低着，只看她那拿在指頭上戲弄着的一個小紙捲；她不言語，她的生命已經在那闌干外被西斜的日光所佈滿的山樹和田野的淡黃色的恬靜裏，細語着、申訴着、哭泣着；因爲她此刻感得了幸福了。

剎那間她們便消失了，靈魂與肉體都消失了。接着隱滅去的就是那石柱、那闌干、那碧色的天和那山林田野；只剩下一片栗黃色的光顫閃閃地在我眼前一排四個橢圓形的鏡子上面躍動。——我此刻感得幸福了！

十八

## ——秋的味——



秋的味在這幾日只有黑夜的空氣能夠偶然間送給我們的鼻子。這也是一閃即滅的東西。試努力去尋找麼？前面路旁模糊的空氣裏，有許多大小白色和黃色的燈光，和一點紅色的燈光，懸綴在兩列房屋的什麼地方，更向前去，轉一個灣便可想像到那森嚴的黑暗所佔據着的叢塚和山陂。遠遠近近，有活動着的人影在微語聲中，在路上，在簷下和在我身旁；在我身旁更有人吹着神秘的聲音的笛子。風從臉上、髮上、頸上拂過，冷冷的；肌膚在薄衫內倏然起了一個噤慄。這並非是寒戰，非是肉體敵不住氣候變動的起了寒戰；乃是一盞被鎖藏了十幾年的舊風燈，重新給點上了燭光，懸垂在前臨夜海的簷邊，在風中搖㨬，而依然倘恍地透想着那時的風光而起了的寒戰。我應當永遠貯藏着青春；我應當永遠孤立於幽凄而甘美的境中。然而這不可能，正如耳旁的笛聲拂過去便散在空中了；不幸有旁人在旁的地方接觸了牠，牠也一樣地拂過去便散在空中了。燈光、人影、聲音、神祕、青春、幽凄、甘美和黑夜的空氣呵！

四二

# 紀遊

回溯轉去，七月二十九日是那幾天中最涼爽的一日。先晚曾在雨後的黃昏裏所約定去野遊的朋友中，只有素絲和澂子不曾違我的願望。我們在窮窘的日子裏忽然想到野遊的興趣，說起來，也眞羞愧殺人；既不能趁着天氣的淸涼好好地去做事，又不能在精神壯健的這時刻中謀一日升斗之需，單憑着情感，說要出遊便去出遊，而且無錙地便要花去可以不必花費的一元二元，說起來眞羞愧殺人。但是素絲和澂子既已欣然動念，這遊的一事在今日可以說不是夢了。這所謂不是夢，誠如科學的所謂「這是事實」

一樣。

遊必有名山大川，而我們遊的地方也就免不掉『名』這個字；遊必在幽泉冷壑之間，我們可也尋得這樣的東西了。日光穿插在我們仰頭便能望見的大樹枝葉之間是透明的葱綠和淡黃；我們坐在樹下澗中幾塊斜石上，聽聽脚邊那極微細的淙淙涓滴，也忘懷了一二分鐘，便又談到我們的無味的言辭；這樣的語辭，我想，不是散佈在那些迷目的樹上草上而喧騰，便是亂落在澗中亂石間隨着細流的吟聲而遠了。但是所謂遊的味道却也並不全在這裏；因爲我們曾携來了一個籐籃，裏面有蛋糕、餅子、雞、烟捲、而且有火柴、手巾、草紙和小刀，這些，都是我們時時罣念在心的。直至沿途把牠們的能事盡了，我們已經一步一步地走近了萬壽寺。寺門前的日脚雖然斜了些，曬在我們的臉上頸上，却一樣地教人感覺不舒。長懼到這一層的，尤以澈子爲最敏銳，因爲此時伊熱紅的雙頰已經罩蓋在那撑開來的白色的傘底下了。想到平日是很熱鬧而此刻却沒有一人在眼前的這紅牆碧瓷的山寺靜立在南風中，我戰戰兢兢地憶出了那魯智深所曾鬧過的瓦官寺，這裏而不也就有那樣的飛天藥叉邱小乙麼？幻想的眞實每每謊騙了自己，我們大膽走進那廟宇時，无地不是兩個白淨面皮的香火道人幽閑地坐在齋堂廊下望着我們呢！這一層是大可放心的了。

從山下到山頂，又從山頂到山下，我們似乎處處都熟識，然而似乎處處都不熟識。說起日日隔江可望的這小小山麓，初來時便曾有點厭惡牠的平凡；等到休息在兩棵老樹的蔭下，瞧着若黑的大岩石被山風吹着；或者從眼前綠翠叢中窺見那彷彿浮在天半的糢糊的田野和城市人家，日影一刻一刻地西沉，這處那處也便教我們感到變幻的飄忽在生活中實是不可少的東西、話說多了，其實遊的興趣，在我此時，已是有如強弩之末。我記得我們剛才曾經站立在一座佛殿階前；聽着那從嚴扃的古殿窗櫺內透出來的一個困倦而斷續的讀經聲，我曾瞥見我們都低下了頭來。這已經是很够了；何必更向前追尋呢？

## 再紀遊

原不必有這回出遊的事。你想：僅僅在三個小時的光陰裏，要步行，要渡河，要在樹林中盤桓，要吃水果、吸烟捲，要笑迷迷地互對着席地而談心，要吃帶去的餑餑作晚飯，要看嶮巇的殘輝和峽江的波色；再親熱下去，更要看看那眉目初醒的上弦月將如何的照見我們彷彿如黑點般爬在沙岸邊或樹根旁，依傍着，愛戀着，使我們在這教人容易大膽犯罪的幽靜中忘了回去，忘了世界，忘了自己；假使有人說，末日立刻降臨了，便末日立刻降臨的事也都忘去：——這是何等的一個大心願！僅僅在三個小時的光陰裏便要將牠遺掉，並且不要有悔恨的痕跡留在心裏，你想，你單只想，這是可能的麼？

不顧斜陽的酷烈從水面反射着我們的眼睛和臉皮，衣服和手足，教岸上遠眺着的人們生出異樣靈光的感觸，一葉般的扁舟載着我們前去，去到那我們要到的那地方，去還掉那我們要還的心願。前方一座被日光照耀着的赭紅山巖彷彿在波上浮沉；右邊沿着洲渚而森然排比的黑色樹林和其中的屋瓦，襯托着西南的天空異常高爽、闊大、清冷，使我們抬頭望去，不虛僞地尋出所謂「秋」這個東西便深深地藏在那裏面。

我們匆匆地來；來時無意地訪得了張君。站在幾棵橘樹下，姿嬝綽約的伊，張開口笑着歡迎我們；不斷地說着歡迎我們，牽過了伊的兩個見人靦覥的學生拜了我們；伊引我們進了竹籬；邀我們上了樓房；推開西邊的窗扉，教我們看了那蒼翠飛繞着的叢林背後的麓山；勸我們憑倚室前的欄干，領略那明媚瀠洄的江水：伊說，「初來時看看這些，教人很清醒，天天見着，便一樣地

也生出寂寞；」伊說，「你們要久坐，你們吃了晚飯再去；你們
來看我，我眞歡喜，我時刻想到有人來看我。」一滴眼淚凌在伊
的秀而長的眼角邊沒會落下，伊說，「我不知道我心裏爲什麼這
樣的歡喜！——我能常常有這樣的歡喜麼？……………」
我們匆匆地去；去時拜別了張君。伊送我們到離前，送我們
到江干，隨我們沿着沙灘而走；我們回轉身去幾次伸開雙臂攔住
伊：
「你莫送了。」
「不遠，不遠。」
伊的縈音咽了。然而夕陽下了，月兒在天空了，浮在水上的烟霧
中有閃動如星的燈光了，在幻想中我們瞧見一個在岸旁凝望着的

白衣女郎漸漸被黑暗吞沒了。

這經過的一切不是我們來時的心願。僅僅在三個小時的光陰裏便要將那心願還掉，並且不要有悔恨的痕跡留在心中，你想，你想，還是可能的麼？

## 與我死了三年的瑾妹

心裏一楞，要寫些什麼了；蘸着墨的筆又擱了下來。抽出一根捲烟，慢慢地拖過對面的火柴盒，我檢了一根火柴出來，拿在手裏看着，牠的顏色是白的，頭上有點黑的東西，那便可以引火，火便是有生命的。但是我將爲一個失了生命的人寫些什麼，細細想着，尋不出一絲頭緒．我煩燥了．我的妻子從房外走進來，站在燈下很用心地看我，我說，「你出去；讓我靜坐一會兒．」大女孩安子端來一碗甜酒汁，說，「這是媽媽替爸爸煮熱的．」酒汁到口有酸味，並且淋濕了桌面，這使我眉頭皺了起來：「拿去罷！我不吃了．」妻子將伊的面孔湊在我的臉前．我的眼睛直瞅着伊；伊歎一口氣，退了過去，悄悄地坐在我身後．我的桌上右旁有零亂破舊的書本，兩個生了鏽而盛過烟捲的鐵筒，一個白瓷水池，和一個墨盒；火柴盒已經拋在左邊去了；我努力地想寫一些什麼，爲了這失了生命的人．但是我只有煩燥．樓下有鬥牌的事，竹牌敲在棹上的清脆聲響，在這靜寂的夜氣裏，格外地震耳．鬥牌的一人，便是我這個母親，另外還有兩個女客和一位老人，那便是我的妻父。我想到這正在門牌的母親，我歎了一口氣。那坐在我身後的妻子輕輕地早已放下帳幔睡在牀上了。間壁房裏起了小孩們的歌聲，歌聲清越而快樂。我暫時忘去了一切，然而爲了這失了生命的人，我氣忿地將那吸完的烟捲擲在樓板上用脚踏滅了。那分散而瀰漫在房內的烟味還繚繞在我左右；這和那熄了半刻的火柴餘燼一般，能留下一些什麼的便是生命。妻子在帳幔內用懇求的聲調低喚着小孩們：『安子，安子，別唱啦！』歌聲隨即低了下來，但是繼續着不會斷歇。『安子，別唱啦！爸爸心裏有事。』於是小孩們彷彿安靜地睡去了。但是爲了這失了生命的人，我終於要寫出些什麼。寫些什麼呢？我且問你，你這失了生命的人呵！

# 黃昏

從這窗外塞進來了昏暗，
帶着初冬黃昏時的雨的冷氣，
一陣濃一陣地布散在我和身外的
一切的中間；
從這窗外又塞進來了每晚都可聽見的
那在街頭叫賣的聲音，
又塞進來了不知是那裏的
敲得木頭響的聲音，

又塞進來了遠遠的
火車的汽笛的聲音，
又塞進來了鄉人晚飯後的
喁喁地閑談着的聲音：——
每一個聲音進來，
都帶着嚴冬的預兆，
帶着爐炭的紅光，
帶着孩子們凍僵的肥手，
可是我不覺地感到了衣單；
黑暗了，黑暗了，
不要從這窗向外望，

五四

這裏面已經很豐富了。

## 從酒樓裏出來

從酒樓裏走出來，劈面看見街中一段冰冷漆黑的泥水路，就
叫我身上打一個寒噤。背後的燈光，火鍋，人聲，吃殘的肴饌，
還有自己面前盃底的酒和同坐的一個一個肥瘠各殊的微紅的臉；
剛才從樓梯上一路下來，還留着影子在我閉着的眼睛裏，此時都
被這冰冷漆黑的風吹散。

撩起衣襟，『走罷，』歸路是向北，我的脚却待向東行；彷
彿那裏有『陰森森的夜』正等着我。

五六

『先生回去麼？』

忽然肩旁一個很熟的聲音趕上來這樣地問。我吃了一驚：心裏惱他多事，但是他已經和我並肩走着，那也沒法。轉臉看去是兩點黑烱烱的眸子映出街旁人家零碎的小燈光，從那厚氈大外衣底兩片高領裏和灰呢便帽的低簷下現了出來；這是T君了，一個好朋友而又是同事。

『請！請！我們一同走，熱鬧點，哈！哈！』這個人口鼻裏滿是酒氣。

我剛才在那樓上曾同他喝了兩杯，我們大家也都喝了兩杯那熱熱的，甜甜的，而且是辣辣的汾酒；彼此都很高興，很溫暖，很愜意：什麼也都忘了，但是：

『先生叫車坐去吧？風很大。』

『不是同走嗎？』他驚愕地睨着我。

『我要到旁處去。…………』這意思表示堅決。

於是，只剩下我一人站在丁字路口街角一家油鹽店的門前，儘瞧着那些縮肩而過的人們。

『倘若跟着他車後走去，不久便有一個火盆、一盞熱茶、還有一個妻子和幾個小孩等着我。』但是眼睛卻凝望着那條深深的街，那處又是沐冷漆黑的。肚裏的酒發起抖來。——糟了！

我伸長頸頦去望T君的車影，車很多，人也很多，分辨不出來。此刻我很想和T君同走，但是他已去得遠了。

# 不是

不是那蠢傻的大鼻頭的亟靈的蹁躚，
不是那蛆蟲兒一般的孩童們的啼泣，
不是那出門時碰痛我腳尖的門檻，
不是那從後面陡然教我吃了一驚的喝吆，
不是那矮而肥的姑娘走向前去的屁股的扭動，
不是那賣糖人的酒糟臉上的鼻涕涵漣，
不是那車內劈面飄來而過去了的眼睛，
不是那家櫃臺上擺着的青空的春陽，
呵！不是，不是那朋友瞧看我的那種眼光，

不是他給我的零碎而冷誚的言語，
不是那一處地方緊緊地閉着的窗子，
不是那窗內的一個見着我便在笑聲裏哭泣的人。——
呵！不是，一切都不是，不是呵！

## 嗔怒

伊無端地動了氣，
問伊，伊不答應；
蒼白的唇兒戰抖了，
滿臉暈上了怒嗔。

嗔怒是甜甜的，
戰抖是酸酸的，
踡曲是很很的，
歎息是蜜蜜的。

倘若伊是鋼刀，
我便讓伊砍了；
阿彌陀佛——如來佛，
將這鮮血齎伊算了！

有幾回的白眼？
有幾回的暗砰？
我幾回疑伊拋棄我，
可這回我得了安寧。

## 死草的光輝

今年的冬天異常溫暖而晴和，轉瞬間立春的節日又將到來。雖然也有冰凍和雪花或許將在蟄動的時期給一切生物以嚴威的恐怖，目前究竟是一個不可多得的殘冬。人們伏處在窗戶嚴扃鑪火溫肌的房裏，除掉那爬下屋簷往窗口鑽進來的日光躚在地板中央，更增加了些膚體所能感受的溫和而外，只剩下一點輭輭的倦怠走遍他們的全身；倘若在此時偶然置身在那即使稍有村野風味的附郭一帶地方，口鼻呼吸着死了的樹葉草根分散在空中的氣息，眼睛向四處不斷地領略那一片雖然是枯寂冷落而彷彿依然在這兒那兒尋找得出一點鮮活的生命似的土垣，泥路，人家，水塘，叢竹和樹枝，都矮矮地帖伏在那晶瑩清澈的藍天底下，即使不必會有什麼詩的感興的人們，只要他們是久久閉居在街巷裏的，自然也會有一種不可言說的怡悅在眉宇間軒昂地現露出來；這眞是一個不可多得的晴朗的冬日呵！

我正在這樣的村野路上，慢慢走着；忽然在路旁一綫土垣上滿布着死草的顏色裏，活潑潑地現出十四年前我曾親眼看過而當時已經致我生出無端親愛來的一塊光輝的影•這使我在眼前的光圈中畫出了一條鄉間的小山路，我自己背着那條路坐在一個山坡邊，在溫暖的，正是這樣溫暖的陽光中，低頭去尋面前草地上的葉兒拿在指間玩耍；我正等候一個人回來，計算着，計算着，這該是伊要回來的時刻吧？屢次轉過頭去瞧着那條小山路•末了，一乘有玻璃窗而半被綢幔遮着的城市轎輿，從那一棵松樹邊展露過來；粉紅的豐麗的面龐上一雙晶黑的瞳子笑着望我，我心裏非常喜歡，原想爬起來迎接伊，但是不知怎樣，我還坐在原處未動，然而耳邊却早聽見門內的犬吠和伊的母親迎接出來的說話聲音•我猜想伊回答伊母親第一句問話的時候，一定是呆癡着笑嘻嘻，而不知自己說的是一句什麼話的•我於是緩緩站了起來，向這處的天空和眼前縱橫高低的田野一望，撲去沾着在衣裳上的乾枯草莖，而後轉身向門內踱了進去。

又不知在那最近的那一日，伊邀我到那山後的一個廟裏去遊覽。陪行的是伊大哥的二房，一個北方女人。我們沿山邊走去，路上碰着兩個用鋤鐵掘着山下田裏土塊的年輕漢子。他們瞧着伊笑，並且說了些俏皮話。我瞧見伊低頭疾走，臉上變成緋紅的赤色；陪行的那女人便回頭向他們疾言厲色地低低說了幾句，大約是咒詈的話了。我們已經登上那神廟所在的山岡，幾棵大可合抱的棠樹之外便是無盡的田野、樹叢和點綴其間的農舍。因爲伊的裝束和鄉下婦女不同，又有一個年輕男子站在伊的肩旁，這實在夠教旁觀的幾個男子和女人們懷疑了。指指點點的議笑使我們不能久立，少頃，我們便取道歸去。

這回走的一條田塍路上，却不曾有什麽在我們心目中認為不尴尬的人。於是伊的膽子大了，隨走隨在田邊水裏揀拾小螺，或者停在溪旁，指數水底苔絲藻中一羣一羣的小魚兒，或者從人家土垣上摘取紅色珠形的小果實和半綠半黃的刺葉之類的野生植物。伊指着一種東西問我！

「這叫做什麽？」

我不能答。伊便假編出許多名目來騙我；而且笑着說，

「虧你是個讀書人呢！這一點東西都不曉得？」

這話也很平淡，然而從伊的口裏嚶然地落了下來，每一個字音裏都是愛！

六六

那時伊還是一個女孩兒呵，雖然也有了一個丈夫。

我很驚異，這從來不曾在我心懷縈繞過的十四年前已經告了一個段落的生活，怎麼會從這路旁土垣死草上的陽光裏復活起來？我們一直到今日都在油、鹽、米、柴、和小兒的啼哭聲裏翻筋斗，那十四年前的資格早打消了，但是一時竟又復活轉來在這死草的光輝裏，這雖然是可哀，然而也是可喜的。

## 鄉愁

寫了「死草的光輝」已經回到十四年前去的這個主人，固然走入了淡淡的哀愁，但是想再回去到一個什麼樣的時候，終尋不出一個落腳的地方。這並非是十四年以前的時間的海洋裏，覓看不見一點飄蕩的青藻足以繫住他的縈思，其實望見的只是茫茫的白水，須得像海鳥般在波間低徊，待到落下倦飛的雙翼，如浮鷗似的貼身在一個淸波上面，然後那彷彿正歌詠着什麼在這暫時有了着落的心中的歎息，才知道這個小小的周圍是很值得眷戀的。

誰說，你但向前途尋喜悅，莫在囘憶裏動哀愁呢？

呵！哀愁也好，且囘轉去罷，去到那不必計算的一個時候。

那時候是傍晚的光景；我不知被誰，大約是一個嬷嬷吧？抱在臂裏，從後廳正屋出到前廳廻廊，給放下在右手闌干邊一個茶几上站住。才從母親床上歡喜地睜開來的一雙迷矇矇的小眼睛，在那覓看見一個穿藍色竹布衣衫的女人，是在我小小的心中覺得一見

六八

面便張手要伊擁抱的女人。這是誰呢？您猜一猜看。伊凭倚着闌干，微笑着、望着那被黃昏的光充塞了的庭院空中無數點點的飛蟲穿來穿去，牠們的薄翅振動彷彿習習有聲。

「孩子！這是螢火蟲呀！這是——」

我立刻被伊的唇吻着了，我在伊的那從有史以來便凝聚着愛情的黑晶晶的睫下了。我從旁邊不知又是誰的手裏喝了一口苦味的濃茶，舌頭上新得了一種蘇生的刺戟，我立刻在這小小的朦糊的心中感覺了：這是我家的七月的黃昏。

回轉去罷，房屋依然是那所古舊的房屋，在那條有一個木匠人家管守人口的短巷左邊；落雨的時節，那木匠飼養的三隻斑鳩便在簷下籠中咕咕地叫喚，時候却彷彿是五月。祖母在伊靜悄悄的房中午睡；父親的窗子裏似乎有說話的聲音；我的一個伴侶——一個比我大兩歲的哥哥，叔母生的——不知到那裏去了；母親也不見；我獨自在後院天井裏蹲着．那從牆邊和磚縫裏挺生出來的野草，有圓葉的，有方葉的，密密的，疏疏的，不知叫作什麼，襯着滿階遍地的青苔，似乎滿院裏都是綠色的光的世界．

「哥兒！哪！這兒一點東西送給你．」

挑水的老王，從他擠進院來而尚未息肩的一頭水桶裏，取出一枝折斷了的柳梢，尖尖的長葉滴下了水珠在他的手背上．呵！城外是一個什麼世界呢？他又在他肚腰帶裏挖摸着，一個黑殼亮翅的蟲兒嘶鳴着隨着他的手出來了：

「這叫做蟬子．」

七〇

『呵！老王！』

我飛跑過去了．於是那蟬和柳枝便齊裝在一個小方竹籠內挂在後院的壁上．我在這東西旁邊盤旋玩耍，直到『赫兒，赫兒』地呼喚着的卽在今日還能引我潸然下淚的母親的聲音，可愛地送到我的小耳朶裏．

回轉去罷，回轉去罷，這回彷彿是在一個暮春的夜裏．母親坐在有燈光的桌前和鄰家的姊姊安閑地談着話．一個姑娘——我爲你祝福，姑娘，我記不起你的名字了——背靠着那窗下坐着．伊是我的姐姐，這是母親教我這樣稱呼的；當伊站立起來的時候，伊彷彿比我高半個身軀，聽說是要說人家了，因爲是十五歲的女孩兒呢！正是，我來到母親房裏瞧看伊，原是我的先生的吩咐

•我記得進來的時候，彷彿那先生已經到了後廳的屏門外，將他的一雙耳朵和一雙眼睛交換貼在門縫邊向內打聽•十分對不住您，先生，我現在應該這樣向您道歉，因爲姐姐抱我坐在伊的膝上伊用面龐親熱地偎傍我，偶起頭看我，搖我的肩膊，撫我的頭髮，喊我做「蓀弟！蓀弟！」•我癡癡地瞧着伊的那笑迷迷但是而今我記不清楚了的尖尖的臉•先生，伊或許已經替你生了幾個好兒子吧？可是我所能有的，只是那一根燈草頭上吐出來的靜靜的一朵黃色燈燄，這也卽是兒時母親房裏的春夜的光輝呵！雖然伊的身影很糢糊，我細細吟味，如掣電般我便又站立在伊的面前了•

隔着彭蠡的水，隔着匡廬的雲，自五歲別後，這一生認爲是親愛的人所曾聚集過的故鄉的家，便在夢裏也在那兒喚我回轉去

七二

•回轉去罷，我而今眞的回來了：你無恙麼？我家的門首的石獅，我記得我曾在你身上騎過；你還是被人家喚做禿頭麼？賣水果的老蔣，我記得你的擔子上的桃子是香脆的；你還是在巷中祖出赤膊滑滑地和你師父同鋸木頭麼？可憐的瀨子徒弟，那些斑鳩又在咩喚你餵食給牠們呢！這眞是了不得，我還握着四文小錢在手中，聽見門外叫賣糯米團子的熟習聲音來了，我便奔向大門去：

「糯米團子，一個混糖的，一個有白糖餡的！」

很甜，很甜，媽媽，您吃不吃呢？

## 慢慢地走呀

慢慢的走呀，
仔細腳尖給石子碰着；
慢慢地走呀，
仔細冷風吹蹶了衣角；
慢慢地走呀，
裙子的摺兒已經亂了；
慢慢地走呀，
頭上的髻兒快要散了；
且抬起你的臉，
且摩着你的心，
呼吸還得平穩點，

你才有氣力前行•
我待撲向前去拖住你，
我怕你那絕望的眼睛；
我想摩撫你的頭額，
我怕地灼痛我的掌心；
我只能說：你慢慢地走呀！
你終於拚命的奔了去；
好，好，就把那墻角做一道關山，
模糊裏便成了兩個天地•

## 寄友人

七四

朋友，我想起來了：自你走後的那夜，覷見漆黑的天體閃出了一顆星；那蒼黝的深洞裏，似乎有寂然的空虛；你不在這兒了，令我何以爲情呢？那因爲黑暗的來壓迫而起的哀思，不必定是想到了你吧？也不必不定是想到了你吧？

我知道你將要寫信給我，末尾便是一篇抒情詩。這詩不是你作的，然而你的情感却是那樣。可是我知道了：這是你在寫信給情人之後，你便寫信給我了。筆尖之下儘量地畫圓圈，終於畫不出什麼不得不說的話，旖旎的心情沈浸在那首詩裏。將這塗鴉了的一葉兩葉也很精緻的信箋隨手往封筒內一插，便覺得心上的負擔輕鬆了些，而我的影子也便如望去人於百步之外在你冥想的眼

七六

中漸漸地遠了；寄去吧，不寄去吧，還成什麼問題呢！

幸福的我等着了然，也便算是幸福的吧？然而眼淚是爲着情人而流的麼？也該要珍重珍重。

這廣大的世，處處有教你潛然流淚的喜悅，也有教你愛護生存的悲哀。朋友，乃至一度相識或竟不相識者的求生之念到了赤條條地深摯而宛轉的時候，則請盡量地用你的同情罷；那爲着情人而流的淚也便在這裏得到眞的價值了！

## 北國之人

看你的衣袴汚滿了漿泥，

你的長髮蓬如亂絲；
你一步一步踏着我這南國的街土，
眉尖上簇緊了你故國的悲思。
我在你低垂的目中看見了貝凱爾的湖水，
看見了儘立的樺樹一行行迎風號嘶。
你爲什麼不飲酒於莫斯科的城府？
你爲什麼不泛舟於華爾伽的江湄？
你看南來的雁快趁春風而歸去了，
你何獨飄零在這溫暖的南土，
彷徨着覓不到棲枝？
古來此地曾裝載着如許的愁緒，

牠今日又瞧見了你這北國的男兒！

七八

## 春陰

日來密雨廉纖，成疊的黑雲幾乎與屋簷相接。我家前院有短垣，垣與階沿相距約二尺，隔垣是鄰人的廚房，從朝至午，復由午至暮，那從垣脊上滋騰過來的煤氣和油的烟霧不斷的氛氳在我這堂屋的門窗內外。垣脚一帶即是那廚房裏傾瀉出來的湯汁和菜葉等物流通的小溝渠，被汚泥壅塞了，那些零碎被棄的微小的死物便斑斑點點從黑青色的泥中露出，有紅色的萊菔的皮，有青白色的芥菜的莖；這兩樣東西是最耀眼的。

這幾落到乎教人忘了晴天的長沙的春雨，老是綿綿密密地不休歇，而我這對面的頹垣上的灰壁竟被剝落了一塊兩塊的地方；現出黃泥的底子來了。堂屋和階沿的黑色磚地上老是濕潤潤的；小腳的老太太和女僕王媽有時不小心，便會踩滑開去；幸而這地方狹小，她們隨手可以摸到那可藉以扶持的門框板壁，或者桌子的角，和椅子的背。她們年年都會度過這種天氣，顏面上並不露出一點怨恨。卻是小孩們從學校歸來時，他們卻都很快樂地在這堂屋中間打板毽，或者做着攻擊敵人的遊戲；歡騰的笑聲雜在雨聲中緩緩地蕩漾着，教他們的父母見了也不禁莞顏。你看，他們脫去上身的厚棉衣了，兩臂圓圓地袒露在那捲起的短袖外了，而且每個緋紅的臉上額上滲沁出小粒的汗珠來了。

八〇

有時雨住，我從窗下抬頭望那一綫窄狹的天空，只見成疊的灰黑色的雲，低低地從屋脊後面擁擠着向東南天角飛去。這不見得便是可以教人愛惡的東西。我家有樓，倘使我站在樓上西窗前，雖卽在片時，也常看見灰色的天空中從各方昇起了四五隻紙鳶，飄飄蕩蕩地在這裏那裏浮沉。這樓本來靜寂，從這兒可以聽到隔巷中賣菜的聲音。那或許是白菜，有些綠的芽和葱白的莖，我這樣地想。那疏朗的賣菜的叫聲，消蔽了那空巷，似乎和冬天叫賣黃芽白菜的冷澀的聲音完全是兩樣。

我想：那十字街頭當然有些擎着雨傘的人，跣着赤脚的人，纍纍地套着木屐或釘鞋行路的人。街石或許被剛才的陣雨洗出白色來了，但是不久還須變成黑色濘泥的道路。人力車和轎子的滑頂，宛如黑色棺材的蓋子一般，必定在那些停立道旁的人們的眼中過去了。天空也和這窗前所見的一般，是默默的，沉沉的。一陣暗來的寒氣襲到行人身上，他們知道：立刻又有雨來了，便急忙奔走過去。然而那擺在街旁舖店櫃台下攤子上的，捆束成把，但是連根都被切斷了的紫莖的油菜，猶自開着些黃色小朶的花，那綠葉尖頭正鮮活地滴下水珠來。春呵，你停留在這兒了麼？

## 新月

一方暗澹的玻璃窗角裏，
有一盞反映的燈影的黃色；

那燈影的側旁低處，
橫臥着一鈎將沒的新月；
看來伊正伴着燈影的寂寞，
又無盡的平空倏地將伊們兩隔；
伊正傾聽着下界人家的三絃的聲音，
一陣愛來便將伊逼落下那高牆的缺。

## 燈下

這是一盞燈光。從這白光球裏撥出而顫抖着延長開去的柔顫的光芒，一個到這幾個露出半截身軀在桌邊的小孩們的臉上，便迸出喜悅來，融化到那紅色的頰肉裏去了。

在這一剎那，他們的舉動彷彿都在靈魂內潛行着，從灼灼的眼睛裏跑到那傾聽着什麼響聲的耳朶裏。

這燈光故意飄到這房外的一角，糢糊照見那牆角裏有一架床，床下黑暗中彷彿有很奇怪的東西伏在那兒。

小孩們都知道：那是什麼。

忽然一個小小動物的初生到這世間來的啼聲刺破了這靜寂。桌子邊這許多的小嘴唇一齊微微張開，而出人不意地先由一個最小的口中迸出祝賀的大笑來。這笑聲立刻又被吞併在同時勃發的許多大笑聲浪裏了。

許多急忙的手扶在那些椅背上，急忙的膝頭滑下了椅子的邊，急忙的腳步響到了房門口，急忙的矮小身軀齊蹲伏到地上，急忙的眼睛齊向那床下辨認，然而只有一個悄悄的聲音說：

「看，看！兩個，三個，都是黑白花的小貓咪！」

她們站立起來，互相微笑地看着，有說不出的什麼盤旋在她們底小小心中了。那個梳着一尺長髮辮的大姐姐便開始拍手歌唱；歌聲與笑聲相和而雜作。

那盞燈盞下的白光球喜洋洋地瞧着她們。因爲可愛的心正燦爛地祝賀着這生命的嚴肅的時刻。

## 今夜那夜

今夜是舊歷二月九日的夜•最難得的是一人獨自靜坐這樓室中，從嗅覺裏知道了，窗外有明月•一月餘的層陰苦雨幾乎曾經如濡濕了的棉絮般包塞着人的頭腦而教他生活•今夜的空氣不同了，雖是從各個壁縫和窗隙間透了進來的，也能教人感到這靜夜的空中是清朗的，而且彷彿有無量數的虛寂的遊氛，飄然來往於其間•不必走到窗前，也不必抬頭四顧，只是這般地坐着，便不能教人不思了：

那也是夜；那夜裏有半開的圓形小窗，窗內有一個低頭坐着的黑的人影，和那人影背後的紅黃色的暗光•窗外是草色朦朧的小山谷，谷中是沒有聲息的流水的田，田的那方深處是叢雜的山谷的去路，那在山脊上淡淡的天空裏，彎腰伸臂，分明地畫出自

八六

已的黑影來的是幾株的大小松樹，草間水邊有閣閣的蛙聲，這聲音響澈了谷中。雲移開了，月光吐了出來，照見一切都浮着，流着，分着，合着，在這初御棉衣時節的山間的夜。

呵，這夜遊了，而且曾是在他鄉。想今夜來親我了，我願她常住，更願今夜也如常常住。

## 親心

時間我記不清楚，大約是秋天穿袷衣的時候，我在T君處閒坐，忽然看見野人君的女公子站在房門口，將她額上分披着的剪短的頭髮跟着腦袋一仰向耳際拂去說：

「伯伯，你的康康失了。」

T君徐徐抬起眼睛望我：「不知是什麼時刻的事？我聽說東門外賣麵麵的北方人專拐小孩兒！」我立刻起身走了。

康康是我的一個女孩，在那時有五歲光景。她的厚大的眼睛，長長的睫毛，在父母眼中看來，是可愛的。她在兄弟姊妹中間，身體因爲出痧疹竟衰弱到迄今尚未復原，那時更是一個倚給一雙手扼住她的頸額便會做出苦痛的臉，而不聲不響以死去的，易受屈服的小女兒。在途中想起了她的被幽禁，被鞭笞，被販賣到遼遠的異鄉，長大了，變爲人家的妾婢，或者打入娼妓的門中；這種種生活，她必得要過的；因爲我當聽見她偶然給桌子的邊角碰着那細而瘦的胳膊骨，便嚶嚶地哭泣起來；更殘酷的懲劍(風開拐匪所常施的可以教她變成任何旁人所願意她變成的東西，倘若她的知道懷念父母和兄弟姊妹那種感傷，不曾將她弄到憂鬱死去。

回到家中，我看見火雜雜地一屋人，鄰家的太太們和女僕們在獻計和慰語中歎氣。康康的母親坐在床沿，用手帕揑着鼻子，兩隻眼睛已經紅腫了。我站在伊的面前，伊不敢做聲。

「打電話給警察署，打電話給探訪處，喊更夫去敲鑼！」在四處親友家尋找之後，終於不曾發見她的下落的結果的無聊辦法便是這樣。

從午後應是康康從幼稚園歸家的時刻起，到了掌燈的晚間，房裏坐滿了人，然而都是靜悄悄的，只聽見那母親的啜泣和旁人的壓迫着的呼吸．自命爲有謀略的康康的長兄時炎，枯坐在他母親的身旁，從浪漫的頭腦裏竟想不出一個有奇跡的方策來．

自從聽到這種消息便懸念着的T君來慰問我們了，伊的鎮靜的臉上也看不見一點希望的光．伊白望着這一個母親和這一個父親，又白望着這環繞而立的匣子似的小孩們，伊不禁有點黯然．

倘若康康眞失了，我不知道她的母親現在是一種什麽樣子．萬幸，悲楚的預想也竟可以是夢，這當然是可賀的．康康終於從她素來不曾去過的小朋友家裏獨自回來了，茫然望着這些圍住她，親切地喚着她的名字，彷彿各自心裏有一塊石頭落了平地，而又柔和地責備着她不應該跑到不熟識的人家去的，嘈嘈雜雜的人們．她的母親將她抱在胸前，緊緊地，正如我家現在的母貓哺乳牠的幼兒時用前脚環抱着一隻可愛的小貓一般。

這母貓有四個幼兒，十多天以前，曾經原因不明地失去了一個。牠便將剩下的三個搬去，藏在樓廊左角雜物堆裏。從昨日夜半起，我又聽見這母貓的悽愴地呼喚兒子的聲音；待至天明，時炎走到床前報告，不知何處來的一隻野貓在昨夜將一個白毛的小貓咬死了，拋在廊邊；那小貓的破爛的尸體已經給老王擇到外面的垃圾堆內去。

在母貓自己，似乎還不知道這幼兒的慘死，只在樓廊邊慌慌張張地跑來跑去，看見家中的主人，便求助似地哀鳴起來；給牠飯食，牠嗅一嗅便又跑了開去，只在樓上四處灣角裏覓尋，因爲牠在數目上知道又短少了一個兒子。這眞是牠的不幸了，由此，我所以想起了那伺康康失踪的事。

## 午睡

今春的精神竟不及往年，每在飯後便昏昏欲睡。自己也常學着儆策自己，方法便是硬撑起眼皮去讀那可以醒睡的書物，結果每是書在手裏，人却早打鼾聲了，待到驚醒時，看見的常是我的妻正拿着一床氈子業已將我的上身蓋住。若在雨天，則在微微睜開眼皮之後，這顆棉似的身軀依然躺在床上，伊的面目便如烟一般退去。

有時窗外多少現出晴光，這心裏似乎又感到如許的興奮；有時這房內竟被外面的日影映出强烈的春天的刺戟，一翻身坐在床沿，將氊子撩到一旁去，頗有到何處去閒逛的意思，然而試將要去的地方想過一遍，便依然要睡了。

這種不長進的生活中的惡癖，以前也曾有過，現在卻變本加厲地附在心裏，所以我的妻子每每瞧着我歎息，說「你一年不如一年了。」

這種彷彿老年人口裏唸出的話，似乎不應該是我們中年人的心境的自白；但是有時竟沒法去排遣牠，例如昨夜我和伊談起我們外甥家的事情，那最先突進我的回憶中的便是我的瑾妹，伊死了三年了。這死了的事，在此刻也不能十分令我難受，唯獨忽然地回到十餘年前我和伊都還是青年時代的那種況味，不知不覺教我全身的屑毛齊打寒噤•我還記得初次看見吳淞口外海洋上排泊着種種的航船的桅桿和風帆，和那些奇異的船艘中間發散到空中的丁丁的金鐵的鳴聲，我至今還不知那帶有外洋風味的響聲說的是什麼工作，不過在我們曾經住居上海的回想裏聯帶着被搜了出來，覺得這也和我的蘆妹以及我們青年時代多少有點關係•

話說岔了，現在應說的是這無聊的沉默的時刻；幾乎每天都有這樣一種時刻如鬼影一般趨附到我身上來•我並非如天下的詩人，視這時刻爲靈感啓示的好機會，但也不默默地坐着，每總到外面的雀鳥的叫喚，鄰家小兒的哭泣，和院中女人洗衣的聲音，總焦急地意識到生活的煩瑣中間彷彿遠遠地也有一種透脆的幽境正滋潤着我•一年竟是不如一年了，而這種歷境中的懶惰昏沉不知何日始可被剷除去。今天也正因爲要被祛睡魔，信纔寫來，不覺滿了兩張小小的紙；這回的午睡是可免除的了。

十五年四月

## 這本小書的尾巴

懶懶的，懶懶的，百天不動筆，十天不看書，已成了我的習慣。

事業家說，「像你這樣活下去，世界上何必要人類呢？」這話自然是對的；然而我還是活下去。

我的朋友晉思，他飽嘗着人世的味，彷彿也有些懶懶的；但是沒有事的時候，他却喜歡弄弄筆墨；自去年至今年，寫下了許多文字，結集起來，便是這本「牽牛花」了。

因爲居處很近的原故，他寫下的文字，我總首先讀到。有時，便不願意看也不知不覺的看下去了。

不知怎的，我忽然高興，邀集了幾個朋友，大家湊他付印，而且很勇敢的自任抄寫之役。

人家問我了：「你爲什麼抄這些東西呢？」我說，「大概因爲我太閒了。」又問，「爲什麼你慫慂他出版呢？」我說，「人世間不少閒人，何妨讓他們也看看。」

有人批評晉思是灰色的；有人批評晉思是外冷內熱的；這關我什麼事，讀者自會從這本小冊子裏體會出晉思的爲人來。

有人批評晉思的文字太日本化了；這關晉思什麼事，他不過想說說他要說的話。

照理，爲人家作序或跋之類，是應當精細的分析作者的思想及其背景，介紹於讀者之前的；好在這並不能算作正式的跋，看過了，抄過了，胡亂的寫下這幾句話，爲這本小書添一條尾巴而已。

——一九二六，四，素絲寫記。——

零星社叢書之一

# 牽牛花

每冊實售大洋叁角
外埠酌加郵寄匯費

本書有著作權禁止翻印

著作者　晢思

印刷者　湘鄂印刷公司
長沙織機巷

發行所　北門書店
長沙長春街中市